56
불타는 트로이 성

주니어RHK

신화의 가치

신화는 한 민족의 기원이나 역사적 · 종교적 · 문화적 삶의 모습을 보여 주는 옛이야기입니다. 주로 신과 영웅에 관한 이야기가 많고, 오랫동안 입에서 입으로 전해 내려왔다는 특징이 있지요.

우리가 살펴볼 그리스 로마 신화는 고대 그리스와 로마에 전해 오는 신화와 전설을 한데 묶은 것입니다. 그리스 로마 신화는 고대의 삶을 엿보게 해 주는 문화유산일 뿐만 아니라, 세계 여러 나라의 문학과 미술에 큰 영향을 끼쳤습니다. 하지만 문화적 가치만큼이나 중요한 것이 또 있습니다. 오래된 옛이야기이면서도 거기에 담긴 교훈적 가치가 오늘날에도 여전히 쓸모 있고 중요하다는 사실입니다.

놀랍지 않나요? 수천 년 전의 이야기가 어떻게 과학 문명이 고도로 발달한 오늘날에도 통하는 것일까요? 그것은 바로 그리스 로마 신화에 나오는 신과 영웅의 모습이 오늘날 우리의 모습과 다르지 않기 때문입니다. 신들도 우리처럼 분노하고, 질투하고, 실수를 하지요. 그런 모습을 보면서 우리는 깔깔 웃거나 눈물을 흘리고, 교훈과 감동을 얻습니다. 우리가 그리스 로마 신화를 읽어야 하는 까닭이 바로 이것입니다.

신화의 세계로 떠날 여러분에게 한마디 덧붙이자면, 신화는 우리에게 끝없는 상상력을 요구한다는 점입니다. 신화 속에는 수많은 은유와 상징이 곳곳에 널려 있지요. 따라서 신화를 읽을 때에는 상상력을 최대한 발휘하여 신화 속에 숨겨진 의미를 찾고, 그것을 자기 나름대로 재해석하는 과정이 필요합니다. 이렇게 읽었을 때에야 비로소 여러분 앞에 놀라운 삶의 이야기가 펼쳐질 것입니다.

자, 그럼 흥미진진한 신화의 세계 속으로 함께 떠나 볼까요?

그리스 군은 트로이 군을 속이려고 큰 목마를 만들었습니다.
목마의 배 속으로 들어가 트로이 군을 치고 전쟁을 끝내려는 그리스 군.
지칠 대로 지친 두 나라의 싸움은 어떻게 될까요?
십 년에 걸친 긴 전쟁은 드디어 막을 내릴 수 있을까요?

주요 등장인물

라오콘

트로이의 마지막 신관으로
그리스가 남긴 목마를
안으로 들어가지 못하게 막아요.

시논

오디세우스와 친척이에요.
트로이 전쟁에서
중요한 임무를 해내요.

디오메데스

그리스의 용사로, 트로이 전쟁에 참가
해서 오디세우스를 도와 잘 싸워요.

오디세우스

이타케 섬의 왕으로
지혜롭고 용감해요.
그리스 연합군에 참가해
트로이 전쟁을 끝낼 결정적인
꾀를 내지요.

1
후퇴하는 그리스 군

"십 년이나 끈질기게 이어진 전쟁을

이렇게 쉽게 포기한다는 것이 오히려 이상하지 않소?

나는 아무리 보아도 저 목마가 수상하오."

디오메데스와 병사들이 목마 속으로 들어가 문을 잠그자, 그리스 군은 목마만 덩그러니 남겨 두고 모두 짐을 싸서 배에 올랐습니다.

마치 싸움을 포기하고 후퇴하는 것처럼 흐트러짐 없이 빠르게 움직였습니다.

목마 속에 남은 그리스 병사들은 어두워지기를 숨죽이며 기다렸습니다.

그리스 군을 태운 배들이 출발하자 멀리서 지켜보고 있던 트로이 감시병은 깜짝 놀랐습니다. 엄청나게 큰 목마 하나만 남겨 두고 병사들이 모두 떠났으니까요. 감시병은 이 사실을 트로이 군에 알렸습니다.

하지만 배를 타고 바다로 나간 그리스 군이 트로이 쪽에서 보이지 않게 섬 뒤로 숨어 버린 것은 감쪽같이 몰랐습니다.

그리스 군이 목마만을 남기고 돌아갔다는 말은 순식간에 구석구석까지 퍼졌습니다. 트로이 군은 사실을 확인하려고 밖으로 몰려 나왔습니다.

"정말이야! 그리스 군이 모두 물러갔다."

"전쟁이 끝났다!"

"우리가 이겼다!"

트로이 군 병사들이 목마 앞에서 환호성을 질렀습니다.

정말로 트로이 성 밖에 그리스 군은 한 사람도 보이지 않았습니다.

트로이 군 역시 파리스 왕자가 헬레네를 납치하면서 시작된 이 전쟁에 지쳐 있었습니다. 더구나 전쟁의 원인이었던 파리스 왕자마저 죽고 나니, 싸우고자 하는 의지도 점점 잃고 있던 참이었습니다.

"드디어 우리가 승리했어!"

"이젠 마음 놓고 집으로 돌아갈 수 있겠어."

트로이 병사들은 신이 나서 외쳤습니다.

그때였습니다. 아폴론의 신관 라오콘이 큰 소리로 외치며 트로이 군 앞에 나섰습니다.

"모두 조용히들 하시오. 그리스 군의 전술을 얕보지 마시오. 그리스 군이 아무런

흔적도 없이 갑자기 사라졌다는 게 이상하지 않소? 뭔가 속임수가 숨어 있을 것이오."

"신관이시여, 그리스 군이라면 개미 한 마리도 남기지 않고 모두 떠나 버렸습니다. 그들도 틀림없이 이 전쟁이 지겨웠던 겁니다."

승리의 기쁨에 찬물을 끼얹는 신관의 말에 병사들이 발끈했습니다.

병사들의 말에 라오
콘은 더 큰 목소리로 말했습니다.

"십 년이나 끈질기게 지속된 전쟁
을 이렇게 쉽게 포기한다는 것이
오히려 이상하지 않소?
나는 아무리 보아도 저 목마가
수상하오.

분명 저 안에 뭔가 숨어 있을 것이오."

라오콘은 손가락으로 목마를 가리켰습니다.

"좋소. 이런 때일수록 신중한 것이 좋을 것이오. 그렇다면 신관은 우리가 어떻게 하면 좋겠소?"

라오콘은 병사가 들고 있던 창을 빼앗더니 그 창으로 목마의 배를 찔렀습니다.

"이 목마 안에 무언가가 있을지도 모르오. 안을 확인해 보시오."

병사들도 라오콘을 따라 목마의 배를 창으로 찌르기 시작했습니다.

창이 목마의 배를 뚫고 올라오자 목마 안에 숨어 있던 병사들과 디오메데스는 간이 오그라드는 것 같았습니다. 얼굴이 새파랗게 질려서 모두 덜덜 떨었습니다.

'큰일이로군. 이대로 우리 존재가 들통이 나면 모두 죽은 목숨이야.'

달리 피할 곳도 없는 병사들은 그저 이 순간이 빨리 지나가기만을 바랐습니다. 그때 밖에서 고함 소리가 들렸습니다.

"그리스 병사 한 놈을 잡았다!"

목마를 창으로 찌르던 트로이 군은 행동을 멈추고 붙잡혀 온 그리스 병사에게로 관심을 돌렸습니다.

바닥을 뚫고 솟구쳐 오르던 창이 공격을 멈추자 디오메데스와 병사들은 안도의 한숨을 내쉬었습니다.

2
포로가 된 시논

"나는 오디세우스의 뜻을 거슬렀다는 죄로 군대에서 내쫓겼소.
그들이 비겁하게 도망친다고 했을 때 나는 끝까지
싸우자고 했지. 하지만 겁쟁이 오디세우스는
내 말은 듣지도 않고 날 버리고 가 버리더군."

위기의 순간에 시논이 계획대로 잡혀 온 것입니다.

"너는 어찌하여 그리스 군과 돌아가지 않았느냐?"

"나는 오디세우스의 뜻을 거슬렀다는 죄로 군대에서 내쫓겼소. 그들이 비겁하게 도망친다고 했을 때 나는 끝까지 싸우자고 했지. 하지만 겁쟁이 오디세우스는 내 말은 듣지도 않고 날 버리고 가 버리더군."

시논은 무서움을 감추고 *천연덕스럽게 말을 꾸며 댔습니다.

"저 목마는 무엇인가?"

"그것만은 말할 수 없소. 내가 비록 군에서 빠져나오기는 했으나

*천연덕스럽다 시치미를 뚝 떼어 겉으로는 아무렇지 않은 체하는 태도가 있다.

나도 분명한 그리스 군이었소. 목마에 대한 이야기는 절대로 할 수가 없소."

시논의 말이 끝나자 트로이 군은 창과 칼을 시논에게 들이대며 협박을 했습니다.

"너 같은 애송이가 그런 말을 할 입장이 아닐 텐데? 이 자리에서 죽고 싶지 않거든 당장 이 목마의 비밀을 털어놓아라."

"내가 그리스 군의 비밀을 말하면 나에게도 보상을 해 주어야 하오."

"알았다. 그러니 어서 목마의 비밀을 털어놓아라."

시논은 마지못한 척 입을 열었습니다.

"저 목마는 아테나 여신에게 바치는 선물이오. 팔라디온을 훔치는 바람에 전쟁의 신 아테나의 미움을 받았다는 신탁이 있었답니다. 그래서 여신에게 바치는 목마를 만든 거지요."

트로이 군은 의심을 버리지 않았습니다.

"그런데 왜 이렇게 크게 만들었나?"

"그 목마가 트로이 성으로 들어가면 그리스 군이 앞으로 모든 전쟁에서 지게 될지도 모른다는 예언이 있었소. 그래서 당신들이 옮기지 못하도록 크게 만든 것이라오."

시논은 속으로는 겁이 났지만 애써 담담한 척 이야기를 했습니다.

그리스의 영웅 시논

오디세우스와 진척이었던 시논은 그리스 군이 트로이를 떠나는 척한 뒤에 트로이에 남겨 두었던 첩자였어요. 그는 프리아모스 왕에게 심한 고문을 당하다가 그리스 군과 목미에 대헤 털이놓지요. 히지만 이는 철저하게 오디세우스의 계획에 따른 것이었어요. 그래서 많은 작품 속에서 시논을 조국을 위해 희생한 영웅적인 인물로 다루고 있어요.

트로이 병사들이 웅성거리며 목마를 올려다보았습니다.

“이걸 트로이 성안으로 가지고 들어가면 앞으로 그리스는 영원히 패자가 되는 것이로군. 당장 이것을 끌고 들어가자!”

트로이 군은 시논의 말을 철석같이 믿으며 목마를 옮기려고 움직였습니다.

“우리 트로이 군을 뭘로 보는 거야? 우리가 못 옮기게 만들려거든 더 크게 만들었어야지.”

병사들이 코웃음을 치며 목마를 밀 때였습니다. 라오콘이 또다시 소리쳤습니다.

“그리스 군이 하는 말을 순순히 다 믿을 것인가? 분명 속임수가 있을 것이네. 절대로 속아서는 안 돼. 좀 더 꼼꼼하게 목마를 살펴 본 뒤에 가져가도록 하게. 이봐, 도끼로 저 목마에 구멍을 내 봐.”

병사 하나가 도끼를 들고 성큼성큼 목마를 향해 걸어갔습니다.

밖에서 하는 소리를 엿듣고 있던 디오메데스는 가슴이 철렁했습니다.

'이대로 우리는 끝이 나는 것인가?'

한편 섬 뒤에 숨어 신호가 오기만을 기다리는 오디세우스는 뭔가 불길한 예감이 들었습니다.

'무슨 일이 일어난 걸까?'

"오디세우스 장군님, 성안으로 옮겨지던 목마가 또다시 멈추었다고 합니다."

"그게 무슨 말인가? 계획에 *차질이라도 생긴 것인가?

*차질 하던 일이 계획에서 벗어나 틀어지는 일.

좀 더 상황을 살펴 보고 말해 주게."

오디세우스의 말을 들은 병사는 원래 위치로 돌아갔습니다.

'시논, 디오메데스, 그리스의 운명은 그대들의 손에 달려 있네.'

라오콘은 여전히 목마를 살피며 병사들에게 소리쳤습니다.

“꼼꼼히 살펴라. 조금이라도 수상한 점이 있으면 발견 즉시 나에게 알려야 한다.”

그때였습니다. 바다에서 엄청나게 큰 뱀 두 마리가 나타나더니 쏜살같이 라오콘을 향해 다가갔습니다.

“으아악!”

아폴론의 신관인 라오콘이 포세이돈의 미움을 산 것일까요? 뱀들은 라오콘을 감고 바다로 들어가 버렸습니다.

“아니, 이게 어떻게 된 일이야?”

이 모습을 본 병사들은 깜짝 놀라 목마를 수색하는 것을 멈췄습니다.

포세이돈의 미움을 산 라오콘

〈라오콘과 아들들〉 아게산드로스, 아테노도로스, 폴리도로스

트로이의 목마를 수상하게 여긴 라오콘은 그것을 성안으로 들이면 안 된다고 강력하게 주장했어요. 하지만 아무도 그의 말을 듣지 않았답니다. 흥분한 라오콘은 목마를 향해 창을 던졌어요. 이러한 행동은 그리스 군을 응원하던 포세이돈의 미움을 샀답니다. 결국 라오콘과 두 아들은 포세이돈이 보낸 바다뱀에 물려 죽고 말아요. 나라를 위해 옳은 말을 했지만, 안타까운 죽음을 맞이한 것이지요.

잠시 뒤, 한 병사가 말을 꺼냈습니다.

"저 뱀들은 신이 보낸 사자가 확실해."

"라오콘이 신의 벌을 받는 것을 보니 그가 거짓말을 한 게 분명하다.

어서 이 목마를 성안으로 끌고 가자."

병사들은 모두 힘을 합해 목마를 끌고 성안으로 들어가기 시작했습니다. 목마는 다시 움직였습니다.

"목마가 움직인다!"

"쉿, 목소리를 낮춰."

'드디어 트로이 성안으로 들어가는 것인가!'

목마 안에서 가슴을 졸이고 있던 디오메데스와 병사들은 겨우 한숨을 돌렸습니다.

목마가 멈추지 않고 움직이자 디오메데스와 병사들은 두 손을 불끈 쥐었습니다.

'시논, 제법이구나.'

디오메데스는 지금까지 시논이 임무를 잘 수행할 수 있을지 걱정이 많았습니다. 하지만 목마가 무사히 출발하자, 그 염려를 조금은 내려놓았습니다.

'시논, 마지막까지 잘 부탁하마.'

시논의 임무는 이게 전부가 아니었습니다. 목마를 트로이 성안으로 들어가게 하는 것뿐만이 아니라 그 후에 트로이 군의 *동태를 살펴서 병사들이 안전하게 나올 수 있도록 망을 보는 일도 맡았습니다. 시논이 맡은 일을 모두 해내야만 디오메데스가 밖으로 나와 싸울 수 있었습니다.

*동태 움직이거나 변하는 모습.

3
성안으로 들어간 목마

트로이 성안에 목마를 들여놓은 트로이 군 병사들은

기쁨에 겨워 소리쳤습니다.

"우리가 그리스 군을 이겼나!"

목마는 *우여곡절 끝에 트로이 성안으로 들어갔습니다. 트로이 성문을 지키고 있던 문지기 병사가 목마를 따라 들어가려던 시논을 막아 세웠습니다.

"이제 너는 필요 없다. 목숨을 살려 줄 테니 어서 썩 꺼지거라."

"무슨 소리입니까? 저도 트로이 성안으로 들어가게 해 주십시오. 이제 와서 그리스 군으로 돌아갈 수도 없는 노릇입니다. 저도 트로이 군이 되게 해 주세요."

시논은 어떻게 해서든지 목마와 함께 성안으로 들어가야만 했습니다. 그래야 디오메데스와 그리스 병사들이 목마에서 안전하게

*우여곡절 뒤얽혀 복잡해진 사정.

나올 수 있는 때를 알려 줄 수 있으니까요.

하지만 문지기 병사는 쉽게 시논을 성안으로 들여보내지 않았습니다.

"이런 애송이가 목숨이 아까운 줄 아직 모르나 보구나. 당장 비켜!"

문지기 병사는 시논을 밀치고는 성문을 닫아 버렸습니다.

'이 일을 어쩐다? 내가 들어가야 그리스 군이 밖으로 나올 수 있는데…….'

시논은 문지기 병사한테 다가갔습니다.

"나는 트로이 군에게 *보상을 받기로 한 것이 남았소. 당장 나를 들여보내 주시오."

문지기는 시논을 보며 코웃음을 쳤습니다.

"아직 정신을 못 차렸군. 따끔한 맛을 봐야 정신을 차리겠어."

트로이 문지기는 시논에게 주먹을 날렸습니다. 그렇지만 이미

*보상 어떤 것에 대한 대가로 갚음.

승리했다고 생각했기 때문에 시논을 대수롭지 않게 생각하고 그대로 보내 주었습니다.

'일단 문으로는 못 들어가겠군. 다른 방법을 생각해 보자.'

트로이 성안에 목마를 들여놓은 트로이 군 병사들은 기쁨에 겨워 소리쳤습니다.

"우리가 그리스 군을 이겼다!"

"우리를 십 년이나 괴롭힌 그리스는 이 목마 때문에 이제 더 이상 어떤 승리도 거둘 수 없을 거야!"

트로이 군은 축제 분위기에 휩싸였습니다. 군사들도 무기를 내려놓고 맛있는 음식과 술을 마시며 축배를 들었습니다.

'트로이 군은 승리한 줄 알고 기뻐하고 있군.'

목마 안에 숨은 병사들은 밖을 내다볼 수는 없었지만 시끄럽게 떠들어 대는 소리를 듣고 밖의 상황을 알 수 있었습니다.

밤이 되어 어둠이 온 세상을 감쌌습니다. 승리의 기쁨에 취한 트로이의 병사들은 모두 깊이 잠들어 버렸습니다.

아무도 설득하지 못하는 카산드라 공주

전해지는 이야기에 따르면 라오콘 말고도 목마가 트로이 성으로 들어가는 것을 막은 사람이 한 명 더 있다고 해요. 그 사람은 바로 프리아모스 왕과 헤카베 왕비의 딸인 카산드라 공주였지요. 카산드라를 사랑하게 된 아폴론은 카산드라에게 미래를 내다보는 능력을 주었다고 해요. 하지만 예언을 할 수 있게 된 카산드라는 아폴론을 피해 도망갔어요. 화가 난 아폴론은 카산드라에게 남을 설득하는 능력을 빼앗아 버렸답니다. 카산드라는 목마가 위험하다는 것은 물론, 아주 오래전 파리스 왕자가 왕궁에 나타났을 때부터 파리스 때문에 트로이가 망할 것이라고 예언했어요. 하지만 불행히도 아무도 그녀의 말을 믿어 주지 않았답니다. 그녀는 아무도 설득할 수 없었기 때문이에요.

목마 안에 숨은 디오메데스와 그리스 병사들은 애가 타서 죽을 지경이었습니다. 분명히 한참 전에 트로이 성안으로 들어온 것 같은데, 아무리 기다려도 시논의 소식은 들리지 않았기 때문입니다. 목마 안에서는 먹을 수도 없고 화장실에 갈 수도 없었습니다.

또 언제 트로이 군의 마음이 바뀌어 목마를 불태워 버릴지도 모르니 그야말로 시논을 기다리는 일 말고는 아무것도 할 수가 없었습니다.

'시논, 어째서 아무런 소식이 없는 것이냐?'

시간이 꽤 흘렀지만 밖이 보이지 않아 밤인지 낮인지도 분간이 되지 않았습니다. 살짝 문을 열어 볼까 하는 생각도 들었지만, 사방이 트로이 군일 텐데 행여나 일을 망칠지 모른다는 두려움에 그만두기로 했습니다.

성안으로 들어가지 못한 시논은 성을 떠나지 못하고 주위를 돌며 들어갈 방법을 궁리하고 있었습니다.

'이대로 돌아가 버릴까? 내가 할 수 있는 일은 다 했잖아. 아니야, 포기하기는 아직 일러. 오디세우스 님이 나를 믿고 맡겨 주신 일을 이렇게 끝낼 수는 없어.'

시논은 굳게 닫힌 성문 앞으로 돌아왔습니다. 밤이 깊어지자 문지기 병사도 보이지 않았습니다.

시논은 성문을 기어오르기 시작했습니다.

꽤 높이 올라왔을 때입니다. 어느 순간 손이 미끄러지고 말았습니다.

'이렇게 끝이 나는구나. 죄송합니다, 오디세우스 님.'

시논은 모든 것이 끝이라 생각하고 눈을 감았습니다. 그 순간 누군가의 손이 시논의 몸을 사뿐히 받아 주었습니다. 헤르메스였습니다. 그리스를 응원하던 헤르메스가 시논을 도우러 와 준 것이었습니다.

굴복하지 않은 시논의 마음을 높이 산 헤르메스는 떨어지는 그를 안고 트로이 성안으로 데려다 주었습니다. 드디어 성안으로 들어간 시논은 목마를 향해 다가갔습니다. 목마 주변에는 병사들이 많이 있었습니다.

'어떻게 하면 저들의 관심을 돌릴 수 있을까?'

시논은 목마가 있는 곳에서 멀리 떨어진 곳으로 가서 나무에 불을 붙였습니다. 잠시 후, 한 병사가 외쳤습니다.

"불이야, 불이 났다."

불이라는 말에 목마를 지키던 병사들도 그쪽으로 달려갔습니다.

그 틈을 타서 시논은 조심스레 목마 아래쪽에 난 문을 열었습니다. 그러자 목마 안에서 디오메데스와 병사들이 날쌔게 내려왔습니다.

트로이의 목마

트로이 전쟁 이야기가 실린 〈일리아드〉는 유럽 문학에 많은 영향을 주었어요. 문학뿐만 아니라 생각하는 방식이나 생활 습관에도 영향을 주었답니다. 여기서 나온 소재나 주제들은 현재에도 많이 쓰여요. 트로이 목마는 주로 밖에서 들어온 어떤 것에 의해 안쪽이 무너지는 것을 일컫는 말로 쓰여요.

"시논, 잘 해냈구나. 고맙다. 여기는 우리에게 맡기고 어서 가서 불을 피워라. 오디세우스 장군이 돌아오도록."

시논은 불을 피워 올렸습니다. 불은 곧 시커먼 연기를 뭉게뭉게 뿜어냈습니다.

"연기가 오른다. 어서 쳐들어가자."

'시논, 네가 결국 해냈구나.'

오디세우스는 시논과 디오메데스를 생각하며 출격을 명령했습니다.

근처 섬에서 신호가 오기만 기다리던 그리스 군은 시논이 피운 연기를 보고는 즉시 트로이 성을 향해 출발했습니다. 그리스 군의 배는 눈 깜짝할 새에 트로이에 닿았습니다.

4
트로이의 멸망

십 년에 걸친 트로이 전쟁이 드디어 끝났습니다.

파리스가 스무 살이 되면 트로이를 불바다로 만들 것이라는 예언이

그대로 이루어졌습니다.

승리감에 젖어 술에 취해 잠들었던 트로이 병사들은 손에 무기를 잡아 보지도 못한 채 그리스 군의 공격을 받아 쓰러졌습니다. 궁이 불타고 건물들이 무너져 내렸습니다.

목마 안에 숨었던 그리스 군 병사들은 성문을 지키던 트로이 군을 무찌르고 성문을 활짝 열었습니다. 때마침 오디세우스와 나머지 군사들이 우르르 몰려왔습니다. 성안으로 물밀 듯이 들어온 그리스 군은 닥치는 대로 트로이를 파괴하고 사람들을 죽였습니다.

"오디세우스 님이 오셨다! 어서 공격하자!"

"적을 무찌르자!"

오디세우스가 트로이 성안에 들어서자 그리스 군의 사기는 더 높이 치솟았습니다.

트로이 군 병사들은 대부분 죽고, 남은 이들은 항복을 했습니다. 그렇게 그리스 군이 승리를 거두었습니다. 트로이 군은 반나절 만에 승리와 패배를 겪어야 했습니다.

오디세우스와 시논, 디오메데스가 한자리에 모였습니다.

"시논, 너의 공이 컸다."

"아닙니다. 모두 오디세우스 님과 디오메데스 님이 저를 믿어 주신 덕분에 가능한 일이었습니다. 사실 중간에 포기하고 도망을 칠까도 생각했습니다."

디오메데스는 시논의 어깨에 손을 올리며 말했습니다.

"누구나 그런 경험은 있다네. 나도 자네가 오지 않을 때 자네의 충성심을 의심했네. 하지만 결국 자네가 와 주었어. 그 덕분에 우리 그리스 군이 승리할 수 있었던 거야. 수고했네, 시논."

오디세우스도 디오메데스와 시논의 용기를 칭찬했습니다.

"디오메데스와 시논, 당신들이 없었다면 오늘 우리의 승리는 없었을 것이오. 모두 오늘을 축하합시다."

오디세우스는 축배를 들었습니다. 그리고 말을 이었습니다.

"하지만 누구보다 큰 공을 세운 건 바로 이 목마가 아니겠는가?"

"하하하하."

오디세우스와 디오메데스, 시논은 함께 목마를 바라보았습니다.

잿더미가 된 트로이 성 한가운데에 홀로 우뚝 선 목마가 그리스의 승리를 말해 주고 있었습니다.

십 년에 걸친 트로이 전쟁이 드디어 끝났습니다.

파리스는 '트로이에 큰 재앙을 가져오게 할 아이'라는 예언이 그대로 이루어졌습니다. 티격태격 다투던 올림포스의 신들도 할 말을 잃은 채 불타는 트로이를 내려다보았습니다.

헬레네는 남편 메넬라오스와 함께 스파르타로 돌아왔고, 살아남은 영웅들과 병사들은 그리운 가족들이 있는 고향을 향해 떠날 수 있었습니다.

드디어 오디세우스도 그리운 아내와 아들을 만나 볼 꿈에 부풀어 길을 떠났습니다.

그리스 군에 무너지는 트로이

〈트로이에서 달아나는 아이네이아스와 안키세스〉 얀 브뤼헐

트로이는 결국 그리스 군에 의해 무너지고 말아요. 긴 시간 동안 수많은 사람들이 목숨을 잃어 가고 올림푸스의 여러 신들이 둘로 나뉘어 다투었던 싸움이 결국 막을 내린 것이지요. 멀리 헤카베의 꿈속에서처럼 불길에 휩싸인 트로이가 보여요.

신화 뒷이야기

OLYMPUS GUARDIAN

그리스 군과 트로이 군이 맞붙은 트로이 전쟁은 십 년 동안이나 지속되었다고 합니다. 십 년이라는 세월이 사실인지 과장인지는 알 수 없지만 오랫동안 이어진 것은 사실일 것입니다. 양쪽의 군사력이 팽팽히 맞서는 동안 죽은 사람도 많았고 피해도 엄청나게 컸겠지요.

양쪽 군대에서 가장 용감한 두 장수의 전투는 상상만으로도 손에 땀을 쥐게 합니다. 아킬레우스와 헥토르는 둘 다 뛰어난 장수였습니다. 용맹과 지혜가 넘치는 장수라도 약한 곳은 있다는 이야기가 바로 아킬레우스의 발뒤꿈치 이야기입니다. 아무리 완벽해 보이는 사람이라도 누구나 약점을 가지고 있다는 말이지요.

트로이 군은 그리스 군이 남기고 간 목마를 성안에 들여놓습니다. 이처럼 사람들은 자신에게 불리한 것인 줄도 모르고 받아들이는 경우가 있지요. 신이 세웠다고 할 만큼 튼튼했던 성은 트로이 군이 섣불리 화를 끌어들이는 바람에 무너지고

맙니다. 실제로 우리의 삶에는 그런 일이 꽤 많이 일어납니다. 좀 더 가지려고 하다가 또는 앞뒤 가리지 않고 우쭐대다가 덫에 걸려 곤란에 빠지는 일이 많습니다.

신화에 따르면 트로이 전쟁은 신들의 팽팽한 세력 다툼에서 비롯되었으며, 끝없이 계속되었다고 합니다. 이처럼 인간의 모든 일들이 신들의 뜻에 따라 이루어진다고 해석하면, 자신이 잘못을 저질러 불행이 생겼다는 마음의 짐도 조금은 내려놓을 수 있을 것입니다. 어쩌면 이런 요소는 인간들이 책임감을 덜기 위해 집어넣은 것은 아닐까요?

올림포스 신들의 계보

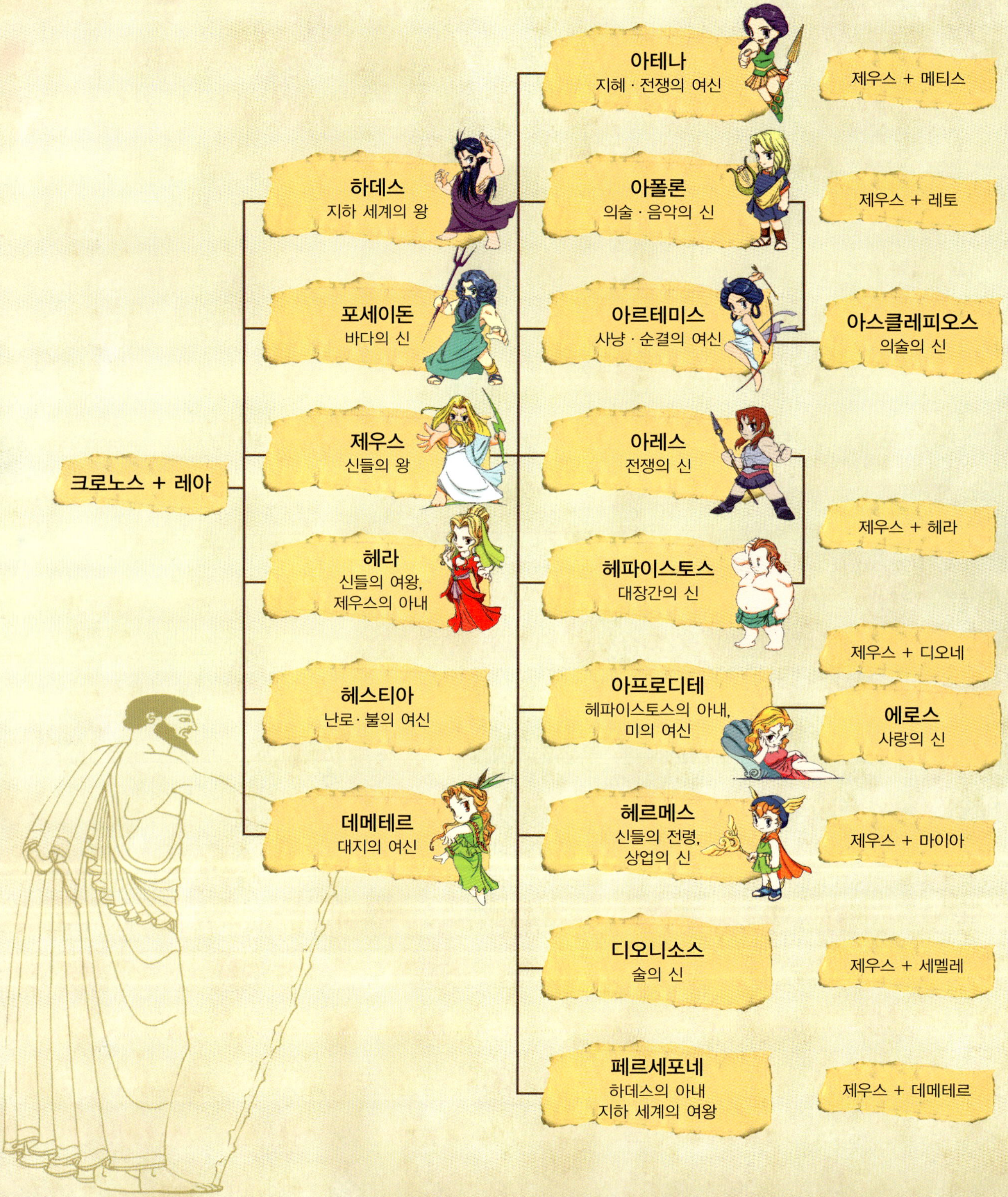

크로노스 + 레아
하데스
지하 세계의 왕
포세이돈
바다의 신
제우스
신들의 왕
헤라
신들의 여왕,
제우스의 아내
헤스티아
난로 · 불의 여신
데메테르
대지의 여신
아테나
지혜 · 전쟁의 여신
제우스 + 메티스
아폴론
의술 · 음악의 신
제우스 + 레토
아르테미스
사냥 · 순결의 여신
아스클레피오스
의술의 신
아레스
전쟁의 신
제우스 + 헤라
헤파이스토스
대장간의 신
제우스 + 디오네
아프로디테
헤파이스토스의 아내,
미의 여신
에로스
사랑의 신
헤르메스
신들의 전령,
상업의 신
제우스 + 마이아
디오니소스
술의 신
제우스 + 세멜레
페르세포네
하데스의 아내
지하 세계의 여왕
제우스 + 데메테르

그리스 로마 신화 주요 인물의 이름

그리스 어	로마 어	영어
가이아	텔루스	
니케	빅토리아	나이키, 빅토리
데메테르	케레스	세레스
디오니소스	바쿠스	바커스
레아	키벨레	시벨레
아레스	마르스	마스
아르테미스	디아나	다이애나
아테나	아네네, 미네르바	
아폴론	아폴로	아폴로
아프로디테	베누스	비너스
에로스	쿠피드, 아모르	큐피드
오디세우스	울릭세스	율리시스
우라노스	카일루스	유러너스
제우스	유피테르	주피터
크로노스	사투르누스	새턴
페르세포네	프로세르피나	
포세이돈	넵투누스	넵튠
하데스	플루톤	플루토
헤라	유노	주노
헤라클레스	헤르쿨레스	허큘리스
헤르메스	메르쿠리우스	머큐리
헤스티아	베스타	
헤파이스토스	불카누스	벌컨

그리스 로마 신화 올림포스 가디언 56

불타는 트로이 성

펴낸이 양원석
펴낸곳 ㈜알에이치코리아
등록 2004년 1월 15일 제2-3726호
주소 서울특별시 금천구 가산디지털2로 53, 20층 (한라시그마밸리)
문의전화 02)6443-8800

ISBN 978-89-255-4370-3(74800)
ISBN 978-89-255-4354-3(세트)

값 **12,800원**

원작 만화로 보는 그리스 로마 신화(가나출판사)
이광진 엮음, 홍은영 그림
명화 구입처 유로크레온(주)

※잘못된 책은 구입하신 곳에서 바꾸어 드립니다.
※책 모서리가 날카로워 다칠 수 있으니 사람을 향해 던지거나 떨어뜨리지 마십시오.